ASCENSEUR POUR LE FUTUR

Soon

Une collection dirigée par Denis Guiot

Couverture illustrée par Stéphanie Hans

ISBN : 978-2-74-851502-2
© 2014 Éditions SYROS, Sejer,
25, avenue Pierre-de-Coubertin, 75013 Paris

ASCENSEUR POUR LE FUTUR

Nadia Coste

À Callista

CHAPITRE 1

Brett réajusta la bretelle du cartable qu'il portait sur une seule de ses épaules pour faire comme les autres collégiens. Une boule au ventre, il shoota dans un caillou gris. Aussi gris que la route, les usines, les voitures, et même les rares arbres plantés dans les cours des entreprises de la zone industrielle où il habitait.

Le père de Brett travaillait comme gardien et homme à tout faire chez Lierbet, une entreprise spécialisée dans les vis et les boulons. La petite famille vivait dans le logement de fonction attenant à l'entreprise. Mais, ce matin-là, ce n'était pas sa vie dans ce quartier gris qui préoccupait le jeune garçon de onze ans.

Une voix l'interpella soudain :

— Hey ! Brett !

C'était Farid, son voisin. Enfin, son voisin le plus proche, car lui aussi habitait dans la zone industrielle.

Farid transpirait dans son survêtement mêlant vert, rouge et jaune fluo. Ses trente kilos de trop se déplaçaient avec un temps de retard, comme s'ils avaient une vie propre.

— C'est quoi ces couleurs ? grimaça Brett. On est en 1991, hein ! Faut arrêter le fluo !

— Tu peux parler, toi, avec ton look de papy !

Brett portait un pantalon en velours côtelé et une épaisse chemise à carreaux hérités de cousins plus âgés. Ces vêtements arrivaient par colis, depuis la Bretagne, alors qu'il n'avait jamais rencontré cette partie de la famille.

Les deux amis se poussèrent de l'épaule. Brett fit un écart exagéré d'un bon mètre sur le trottoir en battant des bras. Farid rit avec lui. Le trajet vers le collège parut soudain moins terne.

« C'est à cause du survêt de Farid qui fait mal aux yeux », se dit Brett.

En fait, c'était surtout parce qu'il ne pensait plus à Jérémy Mazalet et sa bande de copains qui le coinçaient à la récré, tous les jours depuis deux mois. S'il ne leur donnait pas son goûter, ils menaçaient de le cogner à la sortie du collège. La seule fois où sa mère avait oublié les précieux gâteaux, ils avaient promis à Brett de lui casser la figure si ça se reproduisait.

Aujourd'hui, quatre chocos emballés dans du papier aluminium étaient soigneusement rangés près de la Ventoline qui ne quittait jamais le cartable du garçon asthmatique, mais Brett ne pouvait s'empêcher d'être nerveux.

« Pour l'instant, les gâteaux, et après, quoi ? »

CHAPITRE 2

— **A**boule le goûter.

La grande main de Jérémy Mazalet faisait signe à sa victime, comme si le message n'était pas assez clair. Brett baissa la tête. Toute la bande était là : Éric et Adrien, de chaque côté de leur chef, ainsi que Kévin qui bloquait la porte des toilettes. Au loin, on entendait les cris joyeux de la cour de récréation.

Brett s'efforçait de ne pas pleurer. Personne ne viendrait à son secours.

Il enfonça la main dans sa poche, sortit le paquet entouré d'aluminium et le déposa dans la paume menaçante.

— C'est tout ?

Brett acquiesça. Jérémy dépiauta l'emballage et tendit un biscuit à chacun des deux sbires qui l'encadraient.

— Pas terrible, dit Éric.

— En plus ce sont des chocos premier prix! grogna Adrien. Je mange pas cette cochonnerie!

Il lança le biscuit dans la cuvette des toilettes la plus proche. Brett gémit, désespéré. Éric imita son copain en riant. Le second choco se disloqua dans l'eau des W.-C.

Jérémy attrapa le devant de la chemise de Brett, serra le poing et décolla le garçon du sol.

— Je suis sûr que tu peux faire mieux que ça, l'Angliche. Alors, je vais te donner une dernière chance. À quatre heures et demie, tu vas gentiment venir avec mes copains et moi jusqu'à la boulangerie. Tu nous payeras à chacun un joli pain au chocolat. Compris?

Les pieds de Brett gigotèrent. Sa langue devint toute pâteuse. Il n'avait pas d'argent! Il ne pouvait pas! Mais il n'arrivait pas à l'avouer. Il bredouilla, fit « non » de la tête. Ses yeux paniqués dirent le reste.

Jérémy le reposa. Il joignit les mains pour faire craquer ses articulations.

— C'est la boulangerie, ou on te fait la tête au carré. Vu ? Tu vas vite comprendre qui c'est qui commande.

Le chef se détourna, croqua dans un choco, recracha le morceau, puis jeta biscuits et aluminium dans la poubelle avant de sortir.

— Vraiment infect, ce truc.

Ses trois acolytes lui emboîtèrent le pas et ils regagnèrent la cour.

Brett s'écroula sur le carrelage sale des toilettes. Il passa les bras autour de ses genoux repliés. Des sanglots silencieux le secouèrent. Sa respiration saccadée devint sifflante. Il n'arrivait plus à réfléchir.

— Qu'est-ce que je vais faire ? murmura-t-il pour lui-même.

— Tu veux te passer de l'eau sur la figure ?

Brett sursauta.

Un gamin de son âge se trouvait devant lui. Il ne l'avait pas entendu entrer. Avec ses cheveux roux coupés juste au-dessus des oreilles, deux grandes incisives qui dépassaient de sa bouche et les taches de rousseur qui couraient sur son nez pointu, il ressemblait à un mélange de lutin et de lapin. Brett le reconnut. Il le croisait parfois à la cantine.

— Qu'est-ce que tu fais là ? demanda Brett.

Le lutin-lapin haussa les épaules.

— Je crois que tu veux plutôt demander *depuis quand* je suis là.

Brett grimaça. Le garçon venait d'avouer qu'il avait entendu toute la conversation.

— Tu ne diras rien ? demanda Brett en se relevant.

— Ben, partant du principe que je me cachais aux toilettes pour éviter Jérémy Mazalet et sa bande...

— Toi aussi ils...

— Ouais, ouais.

Les deux garçons se sentirent gênés. Brett alla se laver les mains et passa un peu d'eau sur ses yeux. L'autre le suivit.

— Pourquoi il t'appelle l'Angliche ? T'as pas vraiment l'air anglais.

— Ça doit être à cause de mon prénom. Je m'appelle Brett.

Le lutin-lapin tendit une main pour un salut formel.

— Moi, c'est Youri.

Brett haussa un sourcil en lui rendant sa poignée de main.

— T'es russe ?

— Non.

Les deux garçons éclatèrent de rire. La tension retomba.

— Alors, Youri, pourquoi tes parents t'ont infligé ça ?

— Mon père a toujours rêvé d'être cosmonaute. Comme Youri Gagarine. Et toi ?

— Ma mère est fan de Roger Moore. Tu vois qui c'est ?

— L'acteur ?

— Ouais. Elle dit que c'est « son James Bond préféré ».

— Je vois pas le rapport. Pourquoi elle t'a pas appelé James ?

— À cause d'une série dans laquelle il a joué : *Amicalement Vôtre*. J'étais censé être aussi beau qu'un certain lord Brett Sinclair !

Ils rirent de nouveau. Avec sa peau pâle qui couvrait à peine ses os, Brett n'avait pas l'allure d'une star de cinéma.

— Quand j'aurai des enfants, déclara solennellement Youri, je te jure que je leur épargnerai un truc comme ça !

Son sourire découvrit ses dents de lapin. Brett s'assombrit. Depuis sa première crise d'asthme, celle où il n'avait pas compris ce qui lui arrivait et où il avait dû aller à l'hôpital, il était persuadé de mourir jeune. Alors son futur, avoir des enfants, tout ça, c'était le genre de pensée qu'il préférait éviter.

La sonnerie de fin de récréation retentit. Les deux garçons sortirent des toilettes.

— Tu crois qu'on devrait le dire ? demanda Youri. Pour Jérémy et sa bande. On ne doit pas être les seuls.

L'angoisse de Brett reprit sa place, comme une pierre dans sa poitrine.

— Je ne sais pas. Le dire à qui ? Aux surveillants ? Si Jérémy et les autres apprennent que c'est nous qui les avons dénoncés...

Youri mima le geste du chef de bande en faisant craquer ses doigts.

— Voilà, conclut Brett.

Ils décidèrent de garder le secret.

— Un conseil pour quatre heures et demie, ajouta Youri avant de rejoindre sa classe.

— Oui ?

— Cours. Le plus vite possible.

CHAPITRE 3

Courir.

Brett y pensa toute la journée.

Mais il ne pouvait pas courir avec son asthme. La dernière fois qu'il avait essayé, c'était pour le cross du mois d'octobre qu'il avait terminé avec les poumons comme des sacs en plastique incapables de se gonfler. Ce jour-là, il avait vraiment cru qu'il allait mourir. La Ventoline l'avait aidé, mais il sentait encore la douleur dans sa poitrine, rien qu'en y repensant.

Il ne voulait pas revivre ça. Ce serait sans doute pire que se faire torturer par Jérémy et les autres.

La dernière sonnerie de la journée fit sursauter Brett. Il était quatre heures et demie. Il ne devait pas traîner.

Il n'avait aucune envie de se faire cogner par quatre garçons de troisième, dont l'un – au moins – avait redoublé. Il ne pouvait pas courir non plus. Alors il devait essayer de quitter le collège avant eux.

— Tu m'attends ? lui demanda Farid en rangeant sa trousse.

— Pas aujourd'hui, désolé.

La voix de Brett tremblait. Il glissa la Ventoline dans sa poche et passa les deux bretelles de son cartable sur ses épaules. Ainsi, le sac le gênerait moins.

Il marcha à grands pas jusqu'aux escaliers en tentant d'effacer de son esprit la nouvelle question qui s'insinuait dans ses pensées : s'il échappait aux brutes aujourd'hui, que lui réserveraient-elles demain ?

« Déjà, survivre jusqu'à ce soir », se dit-il à défaut d'avoir un meilleur plan.

Il s'engagea dans le couloir qui menait au secrétariat du collège. Il y avait une sortie, par là. Un second portail moins utilisé que l'entrée principale. Jérémy et sa bande n'y penseraient peut-être pas.

Le cœur battant, Brett sortit du collège. Un bus de ramassage scolaire attendait près de l'entrée principale. Des groupes d'élèves se dispersaient en criant, heureux de leur liberté retrouvée.

Brett ne vit les troisièmes nulle part. Il marcha aussi vite qu'il le put. S'il se trouvait hors de vue quand Jérémy et les autres sortiraient...

— Il est là-bas !

— Jérèm' ! On dirait qu'il se tire.

— Reviens ici, l'Angliche !

Les cris de la bande de Jérémy électrifièrent la nuque de Brett.

« Cours ! » s'ordonna-t-il.

CHAPITRE 4

La peur de la crise d'asthme disparaissait derrière celle de se faire prendre. L'image de la grosse main de Jérémy s'abattant sur sa tête poussa Brett en avant.

Un feu rouge. Tourner au coin de la rue. Direction la zone industrielle.

— Tu vas prendre cher si on t'attrape ! hurla l'un de ses poursuivants.

Les petites jambes de Brett ne faisaient pas le poids. Et la colère motivait maintenant les troisièmes qui gagnaient du terrain.

Brett dépassa le dernier pâté de maisons du village. La zone commençait. Des usines, des entreprises et, plus loin, sa maison.

Ses poumons se froissèrent. Sa respiration sifflait déjà. Il n'arriverait jamais jusque chez lui avant la crise ! Il jeta un œil à droite et à gauche, puis bifurqua.

Par là, il y avait des entrepôts où il jouait parfois le week-end avec Farid. Il réussirait peut-être à y semer ses poursuivants ? Soit il trouvait une cachette, soit il se faisait prendre, et adieu l'Angliche !

La peur lui fit oublier la douleur de sa poitrine. Là ! Un grillage à moitié arraché du sol !

Brett se glissa en dessous. Son cartable s'accrocha. Il força.

« Allez ! Tu y es presque ! » s'encouragea-t-il en s'extirpant du grillage.

L'entrepôt le plus proche était couvert de graffitis. Une vieille odeur d'urine s'élevait d'une tache sur un mur. Des tessons de bouteilles de bière jonchaient le sol en béton.

Brett poussa une porte et pénétra dans les locaux abandonnés. Sa respiration sifflante résonna dans le silence. Des particules de poussière dansèrent dans la lumière. Brett sortit sa Ventoline et inspira une bouffée, conscient que la crise d'asthme menaçait toujours.

Le garçon risqua un œil dans l'entrebâillement de la porte. Jérémy, Éric, Adrien et Kévin s'arrêtaient près du grillage abîmé.

— Il est passé par là.

Brett paniqua. Sa ruse ne fonctionnait pas. Ils allaient le chercher, le trouver, et...

Ses pieds qui titubaient l'éloignèrent de la porte. Il abandonna son cartable sous un vieux bureau. Où aller ? Comment sortir de là sans être vu ?

Il y avait un renfoncement plus loin. Peut-être une porte ? Non : un ascenseur.

Dehors, la bande approchait.

Soudain, les lumières de l'ascenseur s'allumèrent. Brett recula, apeuré. Ce n'était pas normal. Le courant était coupé dans tout le bâtiment.

Les portes métalliques s'ouvrirent sur un adolescent vêtu de noir. Une grande mèche de cheveux couvrait la moitié de son visage.

— Par ici, Brett !

Le garçon ne réfléchit pas : il fonça jusqu'à l'inconnu et s'engouffra dans l'ascenseur. Les portes se refermèrent derrière lui.

L'adolescent en noir rejeta sa mèche vers l'arrière avec un regard méprisant pour le garçon apeuré. Brett voulut lui demander qui il était et ce qu'il faisait là, mais la porte de l'entrepôt claqua au loin. Jérémy et les autres entraient.

Brett tendit l'oreille, à l'affût. Ses poursuivants étaient juste de l'autre côté des portes. Ils menaçaient Brett de tout ce qu'ils lui feraient s'ils l'attrapaient.

Le garçon tremblait. Sa respiration ne se calmait pas, et il la trouvait trop sonore : si ses racketteurs l'entendaient, ils sauraient où il se cachait. Brett recula jusqu'au fond de la cabine. Du coin de l'œil, il jeta un regard à l'ado en noir, plus grand de deux têtes et bien plus épais que lui. Il devait avoir quatorze ans. Le même âge que Jérémy. Il ne montrait pas le moindre signe d'inquiétude, ce qui rassura Brett.

Les quatre brutes renversèrent des meubles poussiéreux. Ils passèrent leur colère en faisant un maximum de raffut. Puis leurs menaces perdirent en intensité. Les bruits se tarirent. Quand Jérémy et sa bande eurent terminé leur tour de l'entrepôt, ils finirent par ressortir.

Brett poussa enfin un long soupir de soulagement.

CHAPITRE 5

— Tu veux attendre encore cinq minutes pour être sûr qu'ils sont partis ? proposa l'inconnu d'un ton sec.

Brett hocha la tête. Il ne comprenait ni qui était ce jeune homme en noir ni pourquoi il lui parlait comme s'il était fâché, mais en tout cas il venait de lui éviter la raclée de sa vie.

— Merci. Merci beaucoup.

L'adolescent grimaça en rejetant sa mèche en arrière.

— Ouais, ouais. De rien.

Brett réussit à se calmer un peu. La Ventoline faisait effet. Sa respiration retrouvait sa régularité.

Alors que le silence régnait dans l'ascenseur, une question franchit les lèvres du garçon :

— Bon, dis-moi : qu'est-ce que tu fais là ?

— Je suis venu te sauver la mise, on dirait, rétorqua l'inconnu, les sourcils froncés.

— Non, mais sans rire. Tu étais vraiment au bon endroit au bon moment !

Brett sourit, mais l'autre lui adressa un regard glacé.

— Tu... tu es vraiment venu là pour m'aider ? bredouilla Brett.

Son interlocuteur acquiesça d'un air détaché.

— Ça n'a plus d'importance. Tu es tiré d'affaire, non ? Alors tu vas retrouver ta petite vie, et moi la mienne.

Brett était de plus en plus intrigué par l'attitude de l'adolescent qui l'avait appelé par son prénom.

— Tu me connais, n'est-ce pas ? Mais moi, je ne te connais pas.

L'autre ne répondit rien.

— Tu es nouveau ici ? demanda encore Brett.

— Disons que je suis de passage.

— Et tu t'appelles ?

— Lucas.

Brett chercha dans sa mémoire, mais il ne connaissait personne de ce nom-là.

— Tu me connais d'où ? Et comment tu savais que je serais ici ?

— Écoute, je ne suis pas venu pour un interrogatoire. Les cinq minutes sont écoulées. Bon retour chez toi.

Lucas pivota vers les commandes de l'ascenseur pour ouvrir les portes. Brett découvrit alors que le panneau comptait beaucoup de petits boutons. Vraiment beaucoup. Beaucoup trop pour un ascenseur classique. Il y avait au moins une centaine d'étages !

Il attrapa le bras de Lucas pour l'empêcher de terminer son geste.

— Whaou... souffla-t-il en voyant les chiffres indiqués en face des touches nacrées.

1980. 1981. 1982. Ça continuait, jusqu'à *2080*. Au-dessus, trois petites molettes indiquaient *heure, jour* et *mois*.

— Ce... n'est quand même pas une machine à voyager dans le temps ? s'exclama Brett, qui n'en croyait pas ses yeux.

L'adolescent en noir s'adossa contre le fond de l'ascenseur et rejeta la tête en arrière. Son regard se voila. Il semblait soudain très abattu. S'il comptait garder le secret, c'était raté.

— C'est ça ? Génial ! continuait Brett en effleurant les boutons éteints.

Seul *1991* brillait.

— Alors tu es vraiment venu pour me sauver, hein ? Tu es une sorte de héros qui parcourt le temps pour aider ceux qui en ont besoin ?

L'admiration se lisait sur le visage de Brett. Lucas se redressa d'un coup.

— Voilà ! C'est ça ! Tu m'as démasqué !

Il sourit de toutes ses dents en rejetant

sa mèche en arrière de façon théâtrale et en plaçant les poings sur sa taille, comme un super-héros.

Brett, encore sous le choc de sa course effrénée et de la découverte de l'ascenseur étrange, y crut dur comme fer.

— Tu viens de quelle année, Super-Lucas ?

Le surnom fit plisser le nez de l'adolescent.

— Lucas tout court. Et je viens de 2015.

Nouveau « whaou » de Brett.

— Il y a des voitures qui volent, à ton époque ?

— Heu... non.

Brett fit la moue, un peu déçu, puis il détailla avec attention les vêtements du voyageur venu du futur. Un tee-shirt noir, tout simple, et un jean noir. Il n'y avait que ses baskets qui ne ressemblaient effectivement pas aux modèles que Brett connaissait. Mais ça aurait pu être un prototype tout récent. Pas vraiment le costume d'un super-héros.

Lucas réagit à cet examen détaillé :

— C'est pour me fondre dans la masse à n'importe quelle époque ! lui dit-il avec un clin d'œil.

— La mèche aussi ? demanda Brett en se moquant un peu.

Le mouvement que faisait régulièrement Lucas pour la rejeter en arrière faisait penser à un tic. Un tic agaçant.

Lucas fit comme s'il n'avait pas entendu.

— Bon, maintenant je vais repartir. Au revoir, Brett ! Ravi de t'avoir aidé. Je te souhaite une vie longue et prospère.

— Ah non, tu ne vas pas me laisser comme ça ! Je veux voir le futur, moi aussi !

Brett tenait enfin le moyen d'échapper à ses problèmes. Si la machine fonctionnait, il pouvait s'évader dans le temps !

— Houlala, ce n'est pas du tout prévu, ça ! décréta Lucas. Je ne suis pas censé te faire voyager avec moi.

— Allez, juste un petit tour ? Steuplé, steuplé, steuplé !

Lucas croisa les bras et cracha d'un ton sec :

— Ce que tu peux être agaçant quand tu veux quelque chose.

Ce reproche ne semblait pas destiné au jeune Brett qui se tenait dans la cabine de l'ascenseur avec lui.

— Ce n'est pas grave, murmura celui-ci, vaincu. Je savais que je ne verrais jamais le futur, de toute façon. Je n'aurais pas dû espérer.

Lucas avala sa salive, mal à l'aise.

— Tu as la trouille de mourir jeune à cause d'une crise d'asthme, c'est ça ?

Ce super-héros en savait long sur la vie et les pensées de Brett, qui ne put qu'acquiescer.

— Et si je te dis que tu vas vivre longtemps ? proposa le voyageur du futur.

Brett haussa les épaules, avec un sourire triste.

— Je ne te croirai pas.

Lucas leva à nouveau le bras vers le panneau de contrôle. Brett anticipa l'ouverture prochaine des portes.

« Terminus, tout le monde descend », se dit-il, amer.

Mais Lucas tourna les molettes du panneau et appuya sur un bouton.

— Je vais avoir des ennuis, marmonna-t-il au moment où l'ascenseur s'ébranlait, comme s'il montait à l'étage du dessus.

Les lumières clignotèrent. Les garçons éprouvèrent un haut-le-cœur.

Brett eut à peine le temps de comprendre qu'il était en route vers le futur qu'un « ding » indiquait déjà la fin du voyage.

— Bienvenue en 2015 ! annonça théâtralement Lucas.

CHAPITRE 6

Lucas tourna la clef. Le panneau de contrôle pivota, laissant apparaître les six touches d'un ascenseur ordinaire, puis les portes s'ouvrirent.

À la place de l'entrepôt abandonné, il y avait maintenant des bureaux, des plantes vertes, et des employés qui déambulaient avec des dossiers dans les bras.

Lucas fit quelques pas au-dehors en glissant la clef dans sa poche.

Brett n'en revenait pas. Il avait voyagé dans le temps !

— Oh ! Merci Lucas ! Tu es le meilleur !

L'adolescent fit son premier vrai sourire à Brett.

— Tu verrais ta tête ! Ça vaut les problèmes que je vais avoir !

Brett regardait partout, les yeux écarquillés. Il scrutait la moindre différence dans les vêtements, les coiffures, les écrans d'ordis, les téléphones...

— Bon, par contre, il va falloir être discrets, hein, se renfrogna Lucas en voyant qu'on les dévisageait. Et attention, on est le matin !

Il attira Brett dans un couloir.

— Ne sois pas surpris, ils me connaissent bien ici, expliqua Lucas. Et ils risquent de te confondre avec un certain « Enzo ». OK ?

Le jeune garçon de 1991 avait la tête qui tournait mais il faisait confiance à Lucas. Pas étonnant qu'un ange gardien tel que lui soit connu : il devait aider plein de gens chaque jour !

Les deux voyageurs du temps passèrent devant plusieurs bureaux sans alerter les employés qu'ils croisaient. Certains leur adressaient sourires ou signes de tête, et, comme prévu, on les interpellait souvent en les appelant « Lucas et Enzo ».

— Où est-ce qu'on va ? demanda Brett.

— Tu veux savoir si tu vas survivre à tes crises d'asthme, non ?

L'annonce fit monter une boule d'angoisse dans le ventre du garçon. Avait-il réellement envie de savoir ?

Lucas s'arrêta devant une porte et pointa la plaque dorée vissée dessus.

— *Brett Dumont, président-directeur général*. Whaou ! souffla Brett, éberlué. Je suis vivant ! Et P-DG ! De quoi ?

— C'est une entreprise de conception de jeux vidéo, expliqua Lucas, très fier de son petit effet.

— Sans blague ?! C'est cool !

Une voix résonna dans le couloir et Lucas sursauta.

— Oh, non ! Cachons-nous !

Il entraîna Brett derrière une plante verte.

— Tu n'as rien de plus pourri comme cachette ? le taquina celui-ci.

— Chut !

Un homme, entre trente et quarante ans, se dirigeait vers le bureau, un téléphone portable rivé à l'oreille.

Brett écarquilla les yeux. Cet homme ressemblait beaucoup à son père. Pourtant, quelque chose dans sa démarche, dans son attitude obligea le garçon à reconnaître la vérité :

— C'est... c'est moi ?

Brett regarda cet autre lui. Dans vingt-quatre ans, il serait cet homme élancé, élégant, en costume, avec son incroyable mini-téléphone. Le garçon se sentit fier. Sa mère n'avait pas à s'inquiéter : il ne serait pas toujours maigrichon ! Il ressemblerait même un peu à Roger Moore dans *James Bond*... Sauf que son nez n'avait pas l'air très droit.

Il réalisa soudain que, au-delà de la fierté et de l'espoir de devenir cet homme un jour, il éprouvait un immense soulagement : il ne mourrait pas d'une crise d'asthme. Du moins, pas avant ses trente-cinq ans.

Un poids se retira de sa poitrine.

Le Brett adulte s'aperçut soudain de la présence des deux garçons. Il coupa son téléphone et se planta devant eux.

— Lucas ? Enzo ? Qu'est-ce que vous fichez derrière cette plante verte ?

Lucas sortit de la cachette. Il redressa le menton pour avoir l'air sûr de lui, mais sa voix tremblait.

— Salut. Heu, on est juste passés te dire bonjour. Voilà, c'est fait. Allez, on file !

Il attrapa Brett pour l'éloigner, mais l'homme les arrêta d'une voix dure :

— Pas si vite, jeunes gens !

Lucas se figea. Brett se retrouva entre eux deux. Il s'attendait à ce que son sauveur trouve une nouvelle pirouette pour les sortir de là, mais l'adolescent en noir baissa le nez, comme s'il avait fait une énorme bêtise et qu'il venait de se faire prendre.

L'adulte se désintéressa soudain de Lucas pour reporter son attention sur Brett qu'il détailla de la tête aux pieds.

— Et qu'est-ce que c'est que cette tenue, fiston ? Tu as enfin abandonné les survêtements ?

« Fiston ??? »

Il le prenait pour son fils ! « Enzo » était donc le prénom d'un enfant qu'il aurait un jour !

Le choc empêcha Brett de répondre. Mais l'autre lui, celui de trente-cinq ans – que Brett appela mentalement « James » pour s'y retrouver –, continua sans s'inquiéter de son silence :

— Ça te va bien ! Tu es chic comme tout !

Il ébouriffa les cheveux du garçon.

Des étincelles crépitèrent entre les deux Brett. L'adulte retira sa main avec un léger sourire.

— Sauf que cette chemise est pleine d'électricité statique.

Brett baissa les yeux sur ses vêtements de récupération. Il n'en revenait pas qu'une version de lui plus âgée puisse les trouver chics.

Lucas le poussa d'un coup de coude et déclara :

— Ouais, les fringues, c'était pour te faire plaisir. Bon, il faut qu'on aille au collège. Hein, Enzo ?

— Lucas, qu'est-ce que tu manigances, encore ? gronda l'adulte, de nouveau en colère.

Brett fronça les sourcils. Ça ressemblait à une vieille dispute non résolue... Il intervint pour éviter des ennuis à Lucas :

— C'était mon idée ! Je voulais voir ton travail, papaaa, geignit-il comme un bébé.

Cela coupa net la colère de « James ». Brett réalisa qu'aucun garçon de son âge ne parlait comme ça.

— S'il te plaît, juste cinq minutes ? insista-t-il d'un ton plus naturel.

— Ah, j'ai compris, déclara l'adulte, toujours sévère mais moins fâché. Vous vouliez jouer avec nos nouveaux prototypes avant d'aller au collège ! Combien de fois vous ai-je dit de ne pas venir en douce au bureau !

« Si mon père avait des jeux vidéo à son travail, c'est sûr que j'irais tout le temps le voir ! » songea Brett.

L'attitude de Lucas l'intriguait de plus en plus. Qui était-il par rapport à « James » ? Et qu'avait-il fait pour mettre l'adulte en colère ?

Ce dernier finit par craquer. Il regarda sa montre et déclara :

— OK, allez jouer. Mais pas longtemps, hein ! Je ne veux pas que vous soyez en retard...

— Promis ! déclarèrent en chœur Brett et Lucas en poussant la porte à la plaque dorée.

CHAPITRE 7

rett vit tout de suite le cadre qui trônait sur le bureau. Une photo de sa future famille ! Il était trop loin pour distinguer précisément les visages et, quand il voulut s'approcher, Lucas lui fit les gros yeux pour l'en empêcher. Pendant ce temps, « James » répondait au téléphone portable qui sonnait.

— Allo, chérie ? Oui. Quoi ? Ah oui, c'est vrai. Non, tout va bien. Enzo est déjà là. J'avais oublié. C'est Lucas qui l'a accompagné. Non, non, ça va aller. À ce soir.

Il soupira en raccrochant.

— Tu aurais simplement pu me rappeler que c'était ta journée en entreprise, dit-il à Brett.

Le garçon grimaça.

— Désolé.

Lucas attira Brett vers la fenêtre. Dans leur dos, « James » s'activait sans plus se préoccuper de la présence des deux visiteurs.

— Il faut qu'on retourne à l'ascenseur, chuchota Lucas.

— Déjà ? Je veux voir la tête de ma famille et les jeux vidéo du futur ! répondit Brett sur le même ton.

— Tu n'as pas compris ? Le vrai Enzo doit passer la journée ici ! Si vous vous retrouvez côte à côte, ça va être la catastrophe. On doit se tirer !

Brett soupira. Il devait être raisonnable. Il avait déjà eu beaucoup de chance de voyager dans le temps, de voir quel homme formidable il deviendrait : un homme qui réussissait dans un métier génial, visiblement heureux, aimant son fils même s'il avait l'air un peu sévère...

Les yeux de Brett détaillèrent l'horizon à travers la fenêtre. La zone industrielle avait changé. Elle avait l'air moins grise. Peut-être à cause des fresques de tags et autres graffitis qui ornaient les murs des entreprises de la rue adjacente.

— C'est beau, apprécia Brett sans savoir vraiment pourquoi.

La fresque lui faisait ressentir une émotion qu'il n'arrivait pas à définir. Ça vibrait quelque part en lui.

— Tu ne devineras jamais qui a peint ça, sourit Lucas. Jérémy Mazalet !

— Sans blague ?! Le même qui me rackette ?

— Ouais, il va devenir un grand artiste sans s'en apercevoir. Enfin, tu le découvriras bientôt.

« James » intervint à ce moment-là :

— Bon, je dois filer. On m'attend pour un *kick-off meeting*. Enzo, tu n'as qu'à rester ici et tester les derniers prototypes de réalité augmentée. Lucas, tu files au collège. OK ? Allez, souhaitez-moi bon courage, je vais devoir affronter un *mapping* et le résultat d'un *benchmarquage*. Si je ne m'endors pas, ce sera un miracle !

Brett et Lucas lui firent un petit signe de la main et, gênés, prononcèrent en chœur :

— Bon courage.

Puis ils se tournèrent l'un vers l'autre et éclatèrent de rire.

— J'ai rien compris !

— Moi non plus !

Lucas riait encore en sortant du bureau. Brett ne put s'empêcher d'attraper en douce le cadre photo et de le glisser sous sa chemise avant d'emboîter le pas au voyageur temporel. Il découvrirait sa future famille une fois rentré chez lui.

— Oh, oh ! dit Lucas, de nouveau sérieux. On va avoir des ennuis.

Au bout du couloir, « James » se trouvait nez à nez avec un gamin d'une bonne dizaine d'années. Il portait un affreux jogging argenté dont il avait remonté l'une des jambes jusqu'au genou. Sur sa tête, un bonnet de laine recouvrait une casquette. Mis à part les vêtements, on aurait dit un clone de Brett.

— L'ascenseur! ordonna Lucas.

Brett, angoissé, plaqua une main contre son ventre pour maintenir le cadre, tout en suivant le jeune homme en noir. Il se retourna pour vérifier que « James » ne les poursuivait pas. Le pauvre ne devait pas comprendre comment son fils s'était changé aussi vite !

— Par là ! indiqua Lucas en tournant à l'intersection de deux couloirs.

Brett le rejoignit juste devant l'ascenseur. L'adolescent appuyait frénétiquement sur le bouton d'appel.

— Dépêche, dépêche, murmura Brett qui n'avait aucune envie de raconter son histoire de voyage dans le temps à qui que ce soit.

Même pas à lui-même adulte.

Le « ding » de l'arrivée de l'ascenseur rassura les deux fuyards. Mais la porte s'ouvrit sur un énorme bonhomme à la peau mate. Il remplissait presque toute la cabine. Son tee-shirt de *Star Wars* était maculé de taches de ketchup.

— Hey! gémit l'homme.

Il se tortilla pour sortir de l'ascenseur.

— Désolé, Farid! lança Lucas. On est pressés!

— Holà! Pas si vite, mes cocos. Garde à vous, fixe! On explique à Tonton Farid où on court comme ça!

Brett le dévisagea, la bouche ouverte.

— Farid???

La version âgée de l'ami de Brett eut l'air aussi étonnée que lui.

— Enzo? C'est quoi ce look de papy?

Lucas, conscient que le véritable Enzo se trouvait au même moment face à son père et qu'ils pouvaient surgir à tout instant, prit les choses en main.

— On est en retard! Il faut qu'on file au collège.

Farid regarda sa montre et hocha le menton.

— Vous n'êtes pas encore en retard, mais ça ne va pas tarder! Allez, c'est votre jour de chance, je vous dépose. Ça me fera une excuse pour éviter la réunion, enfin, le trucmuche-meeting.

Sans laisser aux garçons le temps de répliquer, il fit volte-face, entra dans l'ascenseur et appuya sur le bouton *zéro*.

Brett et Lucas échangèrent un regard dépité en entrant à leur tour. Ils étaient si près du but ! En un coup de clef, l'ascenseur se serait transformé en machine à voyager dans le temps... Mais ils ne pouvaient pas entraîner Farid dans leur aventure.

CHAPITRE 8

La voiture de Farid ne volait pas, mais elle impressionna tout de même Brett. Sa carrosserie métallisée scintillait au soleil, et la forme de ses phares lui donnait l'air d'un animal sauvage. L'intérieur sentait la pizza froide.

— Whaou, elle ne fait pas un bruit ! s'exclama-t-il quand le chauffeur appuya sur le bouton du démarrage.

— On dirait que tu n'es jamais monté dans une hybride ! s'amusa Farid en enfonçant une clef USB dans l'autoradio.

Lucas grimaça pour que Brett se taise et ne dévoile pas d'où il venait en réalité. La musique emplit soudain l'habitacle.

— Hey ! C'est la nouvelle chanson de Michael Jackson ! *Black or White* !

Brett ne put s'empêcher de mimer la chorégraphie du clip en bougeant la tête. Face, profil, face, profil. Dans son époque, elle venait de sortir et passait en boucle sur toutes les radios.

— J'adore !

— Ouais, moi aussi j'adore ! s'exclama Lucas pour couvrir l'enthousiasme suspect de son compagnon d'aventure.

Il fronça les sourcils puis lui fit signe de se taire et de boucler sa ceinture. Brett n'avait pas encore l'habitude de s'attacher en voiture car la loi sur le port de la ceinture à l'arrière n'était passée qu'un an plus tôt. Pour l'instant, ses parents ne l'embêtaient avec ça que lors des grands trajets, pas sur de si courtes distances, mais il obéit tout de même pour ne pas se faire remarquer.

— Et voilà, les amis. Ce bon vieux collège Georges-Brassens.

— Merci, Farid !

Lucas descendit le premier. Avant de refermer la porte, Brett entendit Farid lancer :

— Allez, je retourne voir votre père pour ne pas avoir d'ennuis, moi non plus. À bientôt, les petits Dumont !

Brett claqua la portière. Un sentiment étrange se diffusa dans son estomac.

« Votre père ? Les petits Dumont ??? »

La vérité au sujet de Lucas lui sauta aux yeux. Le jeune homme en noir n'était pas un mystérieux redresseur de torts qui voyageait dans le temps pour sauver des centaines d'enfants comme Brett.

— Tu... tu es un autre de... de mes fils, c'est ça ?

Lucas grimaça.

— Je préférais quand tu me prenais pour un super-héros.

La tête de Brett tournait. Non seulement il allait vivre, vieillir et gérer une super-entreprise de jeux vidéo, mais il aurait deux garçons !

C'était bien plus que tout ce qu'il espérait pour son avenir.

Lucas repoussa sa mèche en arrière.

— Il faut qu'on retourne à l'entreprise et qu'on prenne l'ascenseur pour te ramener dans ton époque, *papa*.

La façon dont il cracha ce nom en disait long sur l'agacement qu'il éprouvait pour son paternel. L'attitude froide de Lucas lors de leur rencontre et l'énervement du Brett adulte envers son fils aîné firent peu à peu sens dans l'esprit de Brett. La relation entre ces deux-là n'était pas simple.

— Hé, je ne suis pas *vraiment* ton père, se défendit Brett. Je le serai un jour, mais pour l'instant, je suis encore Brett ! Et je suis plus jeune que toi !

Cette réponse détendit Lucas.

— C'est vrai, admit-il. Pas la peine de passer mes nerfs sur le petit, si le grand m'horripile ! Bon, tirons-nous d'ici avant que des surveillants nous repèrent et nous obligent à aller en cours.

— Tu vas sécher ???

Lucas sourit :

— Tu es sûr que tu ne veux pas que je t'appelle « papa » ?

Brett leva les yeux au ciel. La photo qu'il cachait sous sa chemise glissa soudain. Il la rattrapa en déclarant :

— Voyons un peu ce que l'avenir me réserve comme autres surprises...

Lucas prit le cadre des mains de Brett avant que celui-ci n'ait le temps de voir quoi que ce soit.

— Non ! Tu en sais déjà beaucoup trop ! Tu es gonflé de l'avoir piqué dans le bureau de mon père !

— Allez... Laisse-moi voir à quoi ressemble ma femme, au moins !

Lucas le fusilla d'un regard qui disait clairement : « Fais gaffe à la façon dont tu parles de ma mère ! » Il sortit la photo du cadre qu'il balança dans l'herbe, la plia et la rangea dans la poche arrière de son jean.

« Fin de la discussion », se dit Brett.

Lucas se mit en marche.

Au bout de quelques minutes, Brett finit par lui demander :

— Et il devient quoi, Farid, en 2015 ? Ça, au moins, tu peux me le dire, non ?

L'image de sa carrure à la limite de l'obésité et de son vieux tee-shirt taché ne rassurait pas Brett.

— Tu... enfin, papa affirme que c'est le meilleur programmeur de la région.

— Sans blague ? À mon époque, il bidouille juste son Commodore 64 !

— Son quoi ?

Brett lui fit signe de laisser tomber.

— Alors, tu as un plan ? On retourne à l'entreprise ni vu ni connu ?

— Avec Enzo dans les parages, ça risque de poser problème.

Lucas réfléchit en soufflant sur sa mèche.

— Ça ne te gêne pas, cette espèce de machin, là ? demanda Brett, agacé.

Lucas soupira. Visiblement, son père lui faisait souvent la même réflexion.

— Le plus simple, ce serait d'attendre l'heure du repas, répondit-il finalement, comme si Brett n'avait rien dit. Papa emmènera sans doute Enzo au restaurant. Si on attend jusqu'à treize heures, il y aura moins de monde dans les locaux. Au pire, on dira que tu as oublié quelque chose, et hop, ascenseur, clef, *1991*.

— OK, ça peut marcher. Qu'est-ce qu'on fait en attendant ?

— Ce serait trop risqué de se balader en ville... Je vais t'emmener chez moi, soupira Lucas.

Brett eut envie de sautiller sur place : il allait découvrir sa future maison !

CHAPITRE 9

La maison ressemblait à celles que Brett dessinait quand il avait cinq ans : deux étages, un petit jardin bordé d'une haie bien taillée, un panneau de basket au-dessus du garage, et des jardinières aux fenêtres. Rien à voir avec le bloc gris dans lequel il habitait en pleine zone industrielle.

Aussitôt entré, Lucas désactiva l'alarme. Brett, impressionné, ne put s'empêcher de s'amuser du geste :

— Ben dis donc, ceinture de sécurité obligatoire même pour cinq minutes de voiture, alarme même dans un quartier aussi tranquille... Ça craint, le futur !

Heureusement, Lucas perçut l'humour dans sa voix et ne prit pas la peine de défendre son époque. Les deux garçons pénétrèrent dans une grande pièce où la cuisine était ouverte sur le salon.

— Tu as faim ? demanda Lucas en se dirigeant vers les placards.

Brett acquiesça. Lucas lui jeta une brioche sous plastique et en prit une aussi. Cet emballage supplémentaire surprit Brett mais il ne dit rien. Il était déjà content de voir qu'on ne se nourrissait pas de pilules, dans le futur !

Alors qu'il mordait à pleines dents dans la brioche, Brett découvrit l'immense télévision ultraplate incrustée dans l'un des murs du salon. Sa bouche, encore pleine, eut du mal à se refermer.

Lucas regarda tour à tour le visage de Brett et la télévision, puis sourit :

— Ouais, elle est cool. En plus, elle est en 3D ! Tu veux jouer à des jeux dessus ?

Brett acquiesça vivement.

Par réflexe, il chercha la poubelle de la cuisine pour jeter son emballage et se retrouva confronté à cinq bacs de couleurs différentes.

— Heu...

— Si tu ne sais pas, tu mets dans le gris ! s'amusa Lucas.

Brett s'exécuta en secouant la tête. C'était vraiment trop bizarre, le futur.

Lucas lui en mit plein la vue toute la matinée en enchaînant les jeux en réalité augmentée, ceux en 3D et ceux où le corps servait de manette.

— Je te dis pas le nombre de fois où je bouge ma Game Boy en espérant que ça aide les bonshommes à glisser du bon côté ! avoua Brett, ravi. C'est génial que ça marche vraiment, maintenant !

Lucas eut un sourire modeste.

— C'est sans doute grâce à des gens comme toi que des gamins de mon âge trouvent ça normal.

Ils échangèrent un regard complice. Ils n'avaient jamais communiqué comme ça, entre « père et fils ».

Soudain, un son strident emplit la pièce. On aurait dit une sirène de police. Brett courut à la fenêtre pour voir ce qui se passait, mais Lucas sortit un petit téléphone portable de sa poche, et la sonnerie s'arrêta aussitôt. L'adolescent tripota l'écran tactile et marmonna :

— Heureusement que je me suis mis un rappel... Ma mère va bientôt rentrer. Je suis censé manger à la cantine, alors elle ne doit pas me trouver là. Faut qu'on file.

Les deux garçons se retrouvèrent à nouveau dans les rues.

Brett ignorait où Lucas l'emmenait, mais, pour l'instant, il avait seulement mal à la tête. La faute à la 3D, sans doute.

— Tu sèches souvent les cours ? demanda-t-il d'une petite voix, pour ne pas donner l'impression de l'accuser d'une bêtise et briser leur complicité.

Lui n'aurait même pas eu l'idée de le faire.

— Non, pas souvent. Aujourd'hui, c'était un peu spécial. J'avais préparé mon coup, tu vois.

— L'ascenseur ?

— Ouais.

Lucas shoota dans un caillou.

— Brillante idée, hein ! Je suis allé sauver mon père de la bande de brutes qui lui a cassé le nez et, au final, je lui fais faire un petit tour dans mon époque...

Brett avait de plus en plus mal au crâne.

— Je ne comprends toujours pas pourquoi tu es venu me sauver. Je veux dire... Toi et ton père vous n'avez pas l'air d'être les meilleurs amis du monde, alors pourquoi vouloir l'aider ? Et qui a construit cette machine à voyager dans le temps ?

Lucas enfonça les mains dans ses poches et expliqua :

— Tu vois, ta peur de mourir ? Ben, papa l'a eue toute sa vie. Il l'a même encore aujourd'hui. Il nous rabâche les oreilles avec ça, avec les racketteurs qui lui ont cassé le nez et l'ont empêché de prendre confiance en lui, bla bla bla... Mais il est brillant ! Tu es brillant, Brett ! Alors, tu... enfin, papa a fini par créer son entreprise et il a construit cette machine. Un jour, il m'a promis de retourner dans le passé pour changer le cours des choses, pour se rassurer lui-même, pour pouvoir surmonter ses peurs. En venant te sauver.

Son regard se voila.

— C'était il y a trois ans.

Brett accusa le choc de ces révélations. Il se massa les tempes tandis qu'un silence étrange naissait entre Lucas et lui.

— Donc... mon futur moi t'a fait une promesse qu'il n'a pas tenue. C'est ça ?

Lucas acquiesça, amer.

— Il avait trop peur.

Si cela rendit Brett un peu triste, il comprenait malheureusement beaucoup trop bien l'attitude du père de Lucas.

— Hier soir, poursuivit l'adolescent en noir, papa m'a encore sorti un sermon qui commençait par « si je n'avais pas pris la raclée de ma vie l'année de mes onze ans... », et cette fois ça m'a vraiment énervé. J'ai décidé que, si papa ne le faisait pas, c'était moi qui voyagerais dans le temps pour te sauver !

— Tu as bien fait, le rassura Brett en posant une main sur son épaule.

Ses peurs profondes s'apaisaient. Sa confiance en lui et en l'avenir n'avait jamais été aussi forte. Et c'était grâce au voyage temporel de son fils qu'il découvrait cela aujourd'hui.

Les pas des deux garçons les menèrent jusqu'à la zone industrielle. Brett reconnut le chemin. Une affreuse question monta en lui :

— Mes parents ?

Lucas hocha la tête et répondit :

— Quand je suis coincé pour la cantine, je vais manger chez mamy et papy... Ça ne te dérange pas qu'on s'arrête chez eux ?

Brett sourit, soulagé. Il allait voir à quoi ressemblaient ses parents en 2015 !

— T'inquiète, je jouerai le rôle d'Enzo !

— Et pas de blague, ce coup-ci, hein ! Tu tiens ta langue !

Brett promit en traçant une croix sur son cœur et en crachant par terre.

CHAPITRE 10

— **M**amy ? Mamy, c'est Lucas !
La maison avait à peine changé en
vingt-quatre ans. Quelques bibelots de plus,
des photos des petits-enfants dans des cadres
accrochés aux murs, un nouveau canapé et
une plus grande télévision – mais pas aussi
grande que celle de Lucas.

— Dans la cuisine !

La voix de la mère de Brett, chevrotante,
fatiguée, serra le cœur du garçon. Elle ne
devait pas être si vieille, pourtant ! Tandis qu'il
approchait de la cuisine, Brett calculait mentalement l'âge de sa mère.

« Elle est née en 1954... alors ça lui fait...
61 ans. »

Mais la femme qu'il découvrit, assise en train d'éplucher des carottes, semblait avoir vingt ans de plus.

— Bonjour, mamy, lui dit doucement Lucas en l'embrassant. Je suis venu avec Enzo.

Nathalie Dumont, le visage creusé et cireux révélant sa maladie, réajusta sa perruque d'un geste devenu un réflexe.

— Que tu es beau aujourd'hui, Enzo ! Je ne t'avais jamais vu aussi chic !

Ses yeux brillaient d'un éclat malicieux. Brett se pencha pour l'embrasser, la gorge nouée.

Sur la table en formica marron trônait un pilulier rempli de comprimés roses et jaunes. Brett aurait tellement aimé qu'il s'agisse d'une nourriture futuriste, et non pas de médicaments pour sa mère.

— On peut rester manger avec toi ? demanda Lucas en s'asseyant face à sa grand-mère.

— Bien sûr ! Michel est sorti avec ses copains de Lierbet... Vous me tiendrez compagnie !

Brett fixa cette femme qu'il ne reconnaissait plus mais qu'il aimait de tout son cœur. Lucas lui jeta un regard en coin et réalisa seulement à ce moment-là le choc que cela devait être pour lui. Sa grand-mère luttait contre le cancer depuis si longtemps qu'il ne l'imaginait pas jeune et en bonne santé.

— On ne restera pas longtemps, hein, Enzo ? déclara-t-il pour sortir Brett de ses pensées.

Ce dernier acquiesça. Plus vite il retournerait dans son époque, plus vite il retrouverait sa mère telle qu'il la connaissait.

Il se tint assis, silencieux, comme un spectateur extérieur à la scène, pendant que sa mère se levait pour préparer le repas. Lucas l'aida un peu, mais Nathalie s'activait gaiement dans sa cuisine.

L'émotion empêchait Brett de respirer régulièrement. Il s'éclipsa aux toilettes afin de sortir sa Ventoline. Le futur n'était pas différent de son présent à lui de façon évidente et frappante, mais il l'était par des centaines de petits détails. Comme ce bouton de chasse d'eau séparé en deux ou cette ampoule à la forme biscornue. Il inspira une bouffée de Ventoline, de plus en plus impatient de regagner son époque.

À la fin du repas, la mère de Brett se prépara un café. Sa vieille cafetière en verre avait disparu, remplacée par une machine carrée. Nathalie introduisit une dosette pour faire couler la quantité exacte de café dans sa tasse. Brett ne retrouva pas dans ces mouvements les gestes habituels de sa mère. Il avait l'impression de ne plus la connaître.

Quand elle s'assit à nouveau, le garçon ne put s'empêcher de désigner les médicaments.

— Est-ce que tu vas bien ? Avec tout ça ?

Elle sourit et lui prit les mains.

— Tu sais, Enzo, tant qu'on se projette dans le temps qui nous reste à passer sur cette terre, tant qu'on envisage le futur, on ne renonce pas à la vie. La mort ne prend que ceux qui renoncent. Alors, oui, je vais bien. Je ne suis pas prête à renoncer.

Le clin d'œil qu'elle lui adressa ôta un poids de la poitrine du garçon. Il serra sa main plus fort.

Lucas se racla la gorge :

— Bon, on va y aller, mamy. Merci pour le repas !

— Ne soyez pas en retard au collège, leur dit-elle avec malice en jetant un œil à la pendule murale.

Elle ne semblait pas du tout dupe du manège de ses petits-fils : elle savait très bien qu'ils séchaient les cours. Mais elle aimait qu'ils viennent trouver refuge chez elle, alors elle jouait le jeu sans les dénoncer.

Brett réussit à ne pas pleurer en l'embrassant avant de quitter la maison.

— Ça va ? s'inquiéta Lucas, dès la porte passée.

Brett inspira de petites goulées d'air pour se calmer. Il finit par hocher la tête.

— Ça va.

— Tu es prêt à retourner prendre l'ascenseur ?

— Oui, allons-y, déclara Brett sobrement. Je crois que j'ai bien assez vu du futur.

*

La standardiste assise au bureau d'accueil mangeait des sushis dans une boîte métallique. Elle fronça les sourcils mais laissa passer les garçons qui marchaient d'un pas pressé en direction de l'ascenseur.

Il leur sembla s'écouler une éternité avant que l'accordéon métallique des portes ne s'ouvre enfin sur la cabine vide.

Le moment de vérité approchait. Le cœur de Brett cognait dans sa poitrine tellement il se sentait nerveux. Pourvu que ça fonctionne !

Lucas sortit sa clef et l'inséra dans la serrure. Le panneau sur lequel se trouvaient les boutons des étages pivota et celui comportant les années le remplaça.

Sans hésiter, Lucas tourna les molettes et pressa le bouton *1991*. Les lumières clignotèrent, puis l'ascenseur amorça sa descente.

CHAPITRE 11

« Ding. »

— Nous revoilà dans ton époque, annonça Lucas.

Il tourna la clef. Le panneau de l'ascenseur reprit son apparence normale, puis les portes métalliques s'ouvrirent.

— On est partis combien de temps ? demanda Brett qui n'osait pas sortir.

Jérémy Mazalet et sa bande l'attendaient peut-être encore.

— Une dizaine de minutes.

Les deux voyageurs risquèrent un œil hors de la cabine. Pas de trace des brutes.

Lucas retira la clef de contrôle de l'ascenseur, la glissa dans sa poche pour ne pas la perdre, puis suivit Brett à l'extérieur. L'entrepôt vide, poussiéreux évoqua au garçon un retour à la case départ. Aucun son, même lointain, n'indiquait la présence des racketteurs.

« Soit ils sont vraiment partis, soit ils m'attendent dehors », se dit Brett.

Lucas repoussa sa mèche :

— Je vais rentrer chez moi. Au revoir, Brett. Ravi de t'avoir rencontré !

— Merci d'être venu me sauver, répondit le garçon, la gorge nouée. Et merci pour ce voyage dans le futur.

D'un côté comme de l'autre, les sourires dissimulaient une vraie tristesse de devoir se quitter.

— Si tu reviens dans ce coin du temps, passe me voir, d'accord ? ajouta Brett.

— Ça marche. Et toi, essaye d'être un père plus cool et d'avoir confiance en toi, OK ?

Brett hocha la tête.

— Au revoir, Super-Lucas.

L'adolescent entra dans l'ascenseur, fit un signe de la main, mit la clef dans la serrure et... rien ne se passa.

— Ça ne s'allume plus ! gémit Lucas.

Il tournait la clef dans un sens puis dans l'autre. Il appuyait sur tous les boutons des étages, mais rien n'y faisait. L'adolescent abattit son poing sur les commandes puis sortit, les épaules voûtées, et se laissa tomber sur le sol.

— Je... suis coincé ici.

Brett ne comprenait rien.

— C'était de ÇA que papa avait le plus peur, murmura Lucas. De trop changer son passé et, du coup, de modifier complètement le futur. C'était pour ÇA qu'il n'osait pas voyager dans le temps !

— Mais...

Lucas continua, les larmes aux yeux :

— Tu vas avoir tellement confiance en toi, maintenant, que tu trouveras le moyen de faire face à Jérémy et sa bande. Donc, tu n'auras pas le nez cassé et tu n'éprouveras jamais le besoin de construire une machine à voyager dans le temps. Voilà pourquoi l'ascenseur ne s'allume plus.

Un silence s'installa dans l'entreprise vide.

— Alors, demanda Brett au bout d'un moment, on a changé le futur ?

Lucas hocha la tête.

— On a créé un paradoxe temporel.

— Un quoi ?

Lucas tenta d'expliquer le phénomène, même si Brett avait du mal à suivre :

— Un nouveau futur est en train de s'écrire en ce moment même. Ce que tu vis là ne serait jamais arrivé si je n'avais pas voyagé dans le temps pour empêcher Jérémy et sa bande de te cogner dessus. Donc tu vas grandir et vieillir différemment de mon père. Si ça se trouve, je ne vais jamais exister et donc jamais venir te sauver des racketteurs, donc tu ne devrais pas te sentir mieux, et paf, on est en plein paradoxe temporel !

— Calme-toi, Lucas. Tu es là, devant moi ! Le futur doit donc être à peu près le même…

— Oh, je ne sais pas combien de temps il faut pour que le futur d'où je viens se « réaligne » avec ton nouveau futur. Si ça se trouve, je vais disparaître quand ils fusionneront. Car il ne peut y avoir qu'une seule ligne temporelle, tu vois. Les différents futurs ne sont pas figés : ils se modifient au fur et à mesure qu'on fait des choix…

Lucas fixait l'ascenseur éteint. Avant de quitter son époque, il avait réfléchi aux conséquences, bien sûr, mais il pensait que les changements seraient si minimes qu'il pourrait rentrer chez lui et reprendre le cours de sa vie. En aidant son père à avoir confiance en lui quand il était petit, Lucas espérait que leurs relations seraient meilleures en 2015. Il n'imaginait pas changer le futur à ce point.

Il eut un pincement au cœur en pensant à ses parents, ses grands-parents, son frère et la sœur dont il avait réussi à cacher l'existence à Brett, ses amis...

— Donc, je ne vais peut-être jamais rencontrer ma femme, jamais monter mon entreprise de jeux vidéo et jamais vous avoir toi et Enzo comme enfants ? murmura Brett. Même si on arrive à réactiver l'ascenseur, peut-être que tu disparaîtras quand même ? C'est horrible !

Le bonheur futur qu'il avait entrevu lui glissait entre les doigts.

Lucas pleurait à présent pour de bon. Brett le prit dans ses bras.

— Chut, ça va aller. N'oublie pas que tu m'as sauvé ! Tu n'as pas fait ça pour rien. Et puis je suis vraiment content que tu sois là avec moi.

Malgré sa détresse, l'adolescent était heureux, lui aussi, de partager du temps avec le jeune Brett.

— Qu'est-ce qu'on va faire ? demanda Lucas, toujours pétrifié par sa peur de disparaître.

— Pour commencer, on va aller chez moi, décida Brett. On réfléchira là-bas. Je suis sûr qu'on trouvera une solution.

Cette façon de prendre la direction des opérations tira un sourire triste à Lucas.

— Tu vois, tu as déjà changé.

Les deux compagnons se dirigèrent vers la sortie de l'entrepôt. Brett récupéra son cartable caché sous un vieux bureau renversé. Au moment où il le replaçait sur son dos, il entendit des voix à l'extérieur du bâtiment. Le garçon perdit aussitôt son assurance.

— Jérémy et sa bande ! Ils m'attendent !

CHAPITRE 12

Même s'il trouvait une sortie de secours, Brett devrait franchir le grillage abîmé pour rentrer chez lui. Il passerait forcément devant les brutes.

— Tu sais te battre ? demanda-t-il à Lucas.

Celui-ci coinça sa mèche derrière son oreille, essuya ses yeux rougis et secoua la tête, l'air désolé.

— Ce n'est pas grave, ça va aller, le rassura Brett une nouvelle fois.

Il se pinça l'arête du nez, comme pour réfléchir plus vite, et l'illumination le foudroya :

— Ton téléphone ! Tu l'as toujours ?

— Bien sûr, répondit Lucas en le sortant de sa poche. Mais il n'y a pas de réseau en 1991...

— Tu as besoin de réseau pour faire fonctionner ta sirène de police ? demanda Brett, nerveux.

Lucas esquissa un sourire. Il comprenait où le garçon voulait en venir.

— T'inquiète, je mets le son à fond, et ça va marcher !

Ses doigts glissèrent sur l'écran tactile, puis il replaça le téléphone dans sa poche et hocha le menton pour signifier qu'il était prêt.

Brett inspira profondément et ouvrit la porte.

Jérémy, Éric, Adrien et Kévin fumaient, adossés à un mur sale. En voyant Brett sortir, le chef de la bande se redressa, les poings serrés.

— Petit morveux ! Tu croyais m'échapper, hein ! Mais je vais te dire...

Lucas apparut à son tour. Jérémy marqua un temps d'arrêt. Il était aussi grand que lui.

La bande se figea pour vérifier que personne d'autre ne se joignait à la fête. À quatre contre deux, ils gagneraient encore.

Éric et Kévin jetèrent leurs cigarettes puis firent craquer les jointures de leurs articulations. Brett et Lucas retinrent leur respiration.

La sirène de police hurla soudain.

— Les flics !

— Tirons-nous, Jérém' !

Le chef de la bande jeta des coups d'œil nerveux aux alentours, puis acquiesça en donnant le signal du départ.

— Tu as de la chance, l'Angliche, mais tu ne nous échapperas pas, la prochaine fois !

Un frisson de peur hérissa la nuque de Brett, alors que ses racketteurs filaient sous le grillage troué. Comment s'en sortirait-il le lendemain ?

Il se mordit la lèvre.

« Pour l'instant, je m'occupe de Lucas. »

Le jeune homme, toujours en état de choc, éteignit son téléphone. Brett tenta de l'apaiser en ne laissant pas le silence s'installer :

— Bon, allez, direction la maison. J'ai la clef. Maman ne doit pas encore être rentrée.

Lucas s'arrêta soudain. Il cligna des yeux pour reprendre ses esprits.

— Oh, bon sang! Qu'est-ce qu'on va dire à papy et mamy? Il ne faut pas leur parler du voyage dans le temps, ils me prendraient pour un fou.

— Puisqu'on se ressemble *un peu*, autant jouer là-dessus. On pourrait dire que tu es de la famille? Un de ces cousins bretons qu'on ne voit jamais...

— Ceux qui envoient les colis de vêtements? se rappela Lucas. Papa en parle souvent... Oui, ça peut être une idée. Vos vacances en Bretagne n'auront pas lieu avant quelques années... D'ici là, tes parents auront sans doute oublié le cousin venu en visite. Ou, en tout cas, ils ne s'étonneront pas s'il est différent!

Lorsqu'ils arrivèrent chez Brett, Lucas s'étonna que la maison n'ait pas vraiment changé.

— J'imaginais le passé plus... décalé, expliqua-t-il en tournant la tête de tous les côtés, les yeux écarquillés.

« J'étais comme ça, moi, dans son époque ? » se demanda Brett.

— Tu veux manger quelque chose ? proposa-t-il en retrouvant la cuisine où il avait quitté sa mère, vieillissante et malade, quelques heures plus tôt.

Tandis que le garçon préparait leur goûter en coupant du pain, le tartinant de beurre et saupoudrant dessus du cacao, Lucas restait figé au milieu du salon, bras ballants, et lèvre pendante.

— Fais comme chez toi, hein ! lui dit Brett en lui tendant une tartine.

Il commençait à s'inquiéter de l'attitude un peu molle de Lucas. L'adolescent ne réagissait pas. Ça n'aiderait pas Brett à trouver des solutions à leurs problèmes.

— Tu veux voir ma chambre ? demanda le garçon pour distraire Lucas.

L'adolescent le suivit, et son comportement changea d'un coup : au lieu de marcher à petits pas de crainte de déplacer des objets, il se précipita sur chacun des jouets qui jonchaient le sol de la chambre.

— Whaou ! Des Playmobil cow-boys ! Des Transformers ! Ça existait déjà ? Ils sont tellement *vintage* !

Sa candeur soudaine amusa Brett. Terminé, l'ado tout en noir avec sa grande mèche pour faire genre. Au fond, Lucas était un gamin comme lui.

Le voir à quatre pattes sur la moquette en train d'enfiler les plumes en plastique dans la coiffe du chef indien valait le coup d'œil.

Brett laissa le voyageur temporel découvrir ses jouets. Il abandonna son cartable dans un coin, se cala sur son lit, puis alluma sa Game Boy. Quelques secondes après, Lucas s'installait à côté de lui.

— Je peux essayer ?

— Bien sûr !

Tandis qu'ils jouaient, chacun à son tour, ils mirent au point une stratégie pour justifier la présence de Lucas auprès des parents de Brett.

Peu à peu, les réflexes de l'adolescent venu du futur s'adaptèrent à cette console dont l'écran n'était pas tactile et qui ne possédait aucun capteur de mouvement. Il fanfaronna en terminant le dernier niveau. Brett n'en crut pas ses yeux quand l'animation de la victoire se lança.

— Je n'avais jamais vu la fusée décoller !

À ce moment-là, la porte d'entrée claqua.

— C'est moi ! lança la voix de Nathalie Dumont.

— Maman, murmura Brett.

— Mamy ! dit Lucas au même moment.

CHAPITRE 13

Les garçons sortirent de la chambre.

L'émotion de revoir sa mère pleine de vie submergea Brett qui se jeta sur elle pour l'envelopper de ses bras.

— Hé! Qu'est-ce qui t'arrive? demanda-t-elle.

— Rien, mentit Brett en relâchant son étreinte.

Sa mère ne s'inquiéta pas longtemps de cette affection soudaine: elle découvrit Lucas et l'examina en fronçant les sourcils. Sa tenue sombre donnait à l'adolescent l'apparence d'un petit voyou.

— Bonjour, Nathalie! dit celui-ci.

Les sourcils de la mère de Brett se froncèrent encore davantage.

— C'est Loïc ! De Bretagne ! expliqua Brett d'un ton enjoué.

— Loïc ? Le fils de Marc ?

— Oui, vous savez, maman vous envoie mes vêtements trop petits !

Les yeux de Nathalie s'éclairèrent.

— Loïc ! Bon sang, ce que tu as grandi ! Et changé ! La dernière fois que je t'ai vu, tu portais encore le même genre de chemises que mon Brett...

Elle l'embrassa sur les deux joues.

La différence vestimentaire des garçons sautait aux yeux.

« Elle va croire que le cousin a viré gothique », se dit Brett.

« J'espère que le prochain colis de Bretagne ne contiendra pas uniquement des vêtements noirs ! » pensa Nathalie en posant ses affaires.

« Ce qu'elle est belle, mamy ! Et en bonne santé ! » réalisa Lucas, le cœur gonflé d'émotion.

— Alors, Loïc ? Qu'est-ce que tu fais là ?

— Vous n'avez pas eu le mail de mes parents ?

— Le quoi ?

Brett enfonça son coude dans le ventre de Lucas.

— La lettre, maman, il veut dire la lettre. Apparemment, ses parents nous ont écrit que Loïc viendrait nous voir parce qu'il cherche un apprentissage dans la région.

— Voilà, un stage. En alternance. Pour après le collège : je compte faire un bac pro !

Nathalie Dumont ne comprenait rien. Le vocabulaire employé par le faux Loïc sonnait de façon étrange. Brett attrapa Lucas par les épaules pour l'empêcher de trop parler, puis il sourit à sa mère :

— Il peut rester dormir, hein ? Je lui ai promis de lui faire visiter le coin demain après les cours...

Nathalie dévisagea tour à tour son fils et celui qu'elle prenait pour le petit cousin de son mari. Dehors, la nuit tombait. Pas vraiment le moment de laisser un adolescent seul dans la rue.

— Bien sûr que tu peux rester dormir, Loïc. C'est le moins que je puisse faire, tes parents sont toujours si généreux avec nous... D'ailleurs, je vais leur téléphoner tout de suite pour les rassurer à ton sujet.

— Non ! crièrent en chœur Brett et Lucas.

— Ce n'est pas la peine, maman !

— Mais je n'ai pas reçu leur lettre ! Ils doivent être inquiets de ne pas avoir de réponse.

Elle se dirigea vers le téléphone tandis que les garçons échangeaient un regard paniqué. Un coup de fil, et leur mensonge partirait en fumée.

— Je... je les ai appelés tout à l'heure ! expliqua soudain Lucas. Pour leur dire que j'étais bien arrivé. Ils m'ont dit qu'ils allaient au cinéma, donc il n'y a personne à la maison.

Nathalie Dumont ne quitta pas sa moue incrédule, mais renonça à téléphoner. Les deux complices soupirèrent de soulagement.

— Je les appellerai demain, décida la mère de Brett en croisant les bras. Où est ta valise, Loïc ?

— Dans ma chambre, mentit Brett du tac au tac.

Les garçons prirent conscience qu'il fallait trouver une solution qui durerait plus d'une soirée. Et si Lucas ne regagnait jamais son époque ? Ou s'il disparaissait dans la nuit, comme s'il n'avait jamais existé, comment le justifier ?

— Allez vous laver les mains pendant que je prépare le dîner, soupira Nathalie. Papa va bientôt rentrer.

Dans la salle de bains, tandis que le bruit de l'eau couvrait leurs voix, les garçons se concertèrent :

— Ça s'est plutôt bien passé, non ? s'inquiéta Lucas.

— Ouais, ça aurait été encore mieux si tu m'avais laissé parler ! Tu as failli tout faire rater avec tes mots qui n'existent pas !

— Désolé.

Au bout de quelques secondes, Lucas continua :

— Je crois que je ne verrai plus jamais mamy comme avant !

— Tu ferais bien de t'habituer à la version 1991, parce que si on n'arrive pas à te renvoyer chez toi...

Une porte claqua.

— Entrée en scène du paternel ! termina Brett. J'espère que ça ira.

— Moi aussi.

*

Le repas du soir fut particulièrement joyeux. Michel, le père de Brett, accueillit leur jeune visiteur à bras ouverts. Il ne douta pas de son identité : la ressemblance avec un membre de sa famille, ajoutée aux anecdotes qui traversaient les générations, suffit à rendre le mensonge crédible. Michel fit bien une ou deux réflexions sur la mèche qui devait gêner le pauvre garçon, mais son petit-fils avait l'habitude d'entendre son grand-père dire la même chose dans sa propre époque, alors cela suscita chez lui plus d'émotion que d'agacement.

Lucas dévorait la cuisine de sa grand-mère, avouant qu'il n'avait rien mangé d'aussi bon depuis longtemps. Brett lui donnait parfois un coup de pied sous la table pour éviter qu'il ne trahisse le fait qu'il venait du futur. Une fois le repas terminé, Michel envoya les garçons se brosser les dents et alluma une pipe dont il tira plusieurs bouffées.

— Papy n'a pas tellement changé, décréta Lucas en s'allongeant sur le matelas installé pour lui dans la chambre de Brett. Toujours les mêmes blagues... Mais il a bien fait d'arrêter de fumer !

Brett fixait le plafond de sa chambre. C'était agréable d'avoir Lucas à la maison. S'il oubliait deux minutes qu'il s'agissait de son fils, il se ferait vite à l'idée d'avoir un frère. Quelqu'un de plus âgé avec qui discuter, jouer... sécher les cours !

Un pincement au cœur le ramena à la raison. Ce serait injuste de garder Lucas en 1991 alors que sa vraie vie l'attendait en 2015.

— Bonne nuit, murmura Brett.

— Bonne nuit. À demain.

Brett se tourna du côté du mur mais n'arriva pas à fermer les yeux. Son nouvel ami pouvait disparaître n'importe quand. Serait-il encore là le lendemain ?

CHAPITRE 14

Quand Brett se réveilla, Lucas n'était plus sur son matelas.

Le garçon se leva d'un bond, le souffle court, et déboula dans la cuisine en se tenant la poitrine.

Lucas était assis à table avec ses parents. Il buvait un chocolat chaud. Brett poussa un immense soupir de soulagement en le voyant mais dut faire semblant de rien jusqu'à ce que les adultes s'en aillent.

Lucas lui expliqua alors :

— Je crois que j'ai une solution ! Il faut que tu affrontes Jérémy Mazalet et sa bande. Tu dois remettre l'histoire sur ses rails !

— Comment ça ? demanda Brett, soudain moins heureux que Lucas propose ce genre d'idée. On a changé le futur, oui ou non ?

— Oui, mais on peut peut-être encore rectifier le tir. Dans l'histoire que raconte papa, Jérémy l'a retrouvé dans l'entrepôt. C'est là qu'il lui a cassé le nez. Ses copains l'ont cogné, eux aussi, « pour lui apprendre ».

L'adolescent utilisait les mots que son père rabâchait toujours. Brett avait la gorge nouée d'entendre toute l'histoire. Voilà ce qui lui serait arrivé si Lucas n'était pas intervenu.

— Ils pensaient pouvoir te racketter encore et encore après ça. Sauf que tu étais si amoché que mamy est allée voir le principal. Il y a eu une sorte d'enquête. Jérémy et sa bande ont dû affronter des mesures disciplinaires au collège... et les punitions de leurs parents. À partir de là, tout a changé. Papa dit que les Mazalet – qui prenaient leur fils pour un fainéant et le laissaient se débrouiller seul – ont compris qu'il avait besoin d'eux. Il a été beaucoup mieux encadré. Il a même réussi à exprimer son mal-être dans ses dessins. Sans leur chef, les autres se sont vite calmés.

Brett réfléchit à haute voix :

— Donc, d'après toi, si je me fais casser la figure comme prévu, le futur redeviendra ce qu'il était ?

— Je crois.

— Ton père... enfin... moi, j'inventerai bien la machine à voyager dans le temps, et l'ascenseur fonctionnera de nouveau ?

— Et je pourrai retourner à mon époque.

Brett secoua la tête.

— Je comprends le principe, mais je ne vais tout de même pas me laisser cogner dessus sans rien faire !

Les yeux de Lucas brillaient de désespoir.

— Je suis désolé de te demander ça mais c'est la seule solution pour que je rentre... Et puis, tu as vu ton futur, il n'est pas si mal, hein ! Tu t'en sortiras très bien.

Brett soupira. Bien sûr qu'il voulait aider Lucas à retrouver son époque, mais la perspective des coups le terrifiait. Et si l'affrontement ne se passait pas comme prévu ? S'il faisait une mauvaise chute, se fracassait le crâne et mourait pendant la bagarre ? Lucas n'avait pas pensé à ça !

Il ne dit rien. Une autre idée lui traversa l'esprit. Après tout, même s'il s'inquiétait encore de sa mort, cela ne l'effrayait plus comme avant. Il gardait en tête l'image de lui à trente-cinq ans.

— Je vais voir ce que je peux faire, dit-il pour ne pas mentir à Lucas.

L'adolescent le serra dans ses bras, puis lui adressa un clin d'œil complice :

— Allez, ne sois pas en retard au collège.

*

Sur le chemin, Brett attendit Farid et lui expliqua son problème de racket. C'était la première fois qu'il l'avouait de cette façon.

Farid finit par murmurer :

— L'autre jour, Jérémy et sa bande ont pris mes affaires. Toute ma trousse, ma calculette et même ma K7 de *Dangerous*. J'ai dû dire à ma mère que je les avais perdues.

— Hier, ils voulaient me cogner. À quatre contre un.

— Et ils sont beaucoup plus grands que toi, en plus !

— Ouais.

Les deux amis n'avaient jamais parlé aussi sérieusement.

— On n'est pas les seuls, affirma Brett. J'ai rencontré un garçon qu'ils rackettent aussi. Youri. Tu le connais peut-être ? Il a une tête de lutin, les cheveux roux et des dents de lapin...

— Je vois qui c'est.

— Il y en a sûrement d'autres, mais personne n'ose rien dire.

— Tu crois qu'on devrait les affronter ? s'inquiéta Farid, qui n'était pas du genre à se battre.

— Ils sont bien plus forts que nous. On doit être plus malins si on se ligue contre eux.

— Tu as un plan ?

Brett sourit, heureux que son ami lui apporte de l'aide.

*

Les garçons évitèrent la bande de Jérémy Mazalet en arrivant au collège. Ils partirent séparément à la recherche de Youri. C'est Farid qui le découvrit caché aux toilettes et lui expliqua le plan. Le rouquin fut instantanément partant. Il proposa même d'informer d'autres élèves qu'il savait rackettés.

— On se voit à la récré, lui dit Farid en guise d'au revoir quand la sonnerie retentit.

*

Deux heures plus tard, un flot d'élèves se déversait dans la cour. Brett prit place sur un banc, le cœur battant. Sa position faisait de lui une cible facilement repérable par ses agresseurs.

« Un appât idéal », se dit-il, de moins en moins convaincu de la pertinence de son idée.

Comme prévu, Jérémy et les autres se plantèrent devant lui. Manches retroussées, poings sur les hanches ou rivés à la ceinture, pieds qui martelaient le sol à un rythme perceptible par eux seuls. Ils étaient impressionnants.

— Alors, minus, on reprend là où on en était hier, ricana Kévin en faisant craquer ses articulations.

— Et il est où, ton pote ? grogna Adrien.

Jérémy les fit taire d'un claquement de doigts. Il regarda aux alentours pour vérifier la position des surveillants. Le banc était bien trop visible.

— Notre ami l'Angliche va venir faire un petit tour avec nous, déclara-t-il avec un sourire effrayant.

Il souleva Brett d'une main puis passa le bras autour de son cou, comme s'ils étaient bons amis. Il le força à avancer jusqu'à l'arrière du gymnase.

Brett se retrouva hors de vue des surveillants. Le rythme des battements de son cœur s'accéléra. Sa respiration perdit sa régularité. Dans quelques secondes, il jouerait son avenir.

En entendant le craquement des phalanges de ses agresseurs, il ne put s'empêcher de fermer les yeux. Il pensa au nez cassé du père de Lucas – à *son* propre nez ! – puis déglutit en attendant le premier coup de poing.

CHAPITRE 15

Jérémy frappa. Un uppercut au milieu du ventre. La douleur coupa la respiration de Brett qui se recroquevilla sur lui-même.

— Ça, c'est pour nous avoir apporté un goûter pourri.

Coup de genou. Brett gémit, prêt à tomber.

— Ça, c'est pour nous avoir obligés à te courir après.

Deux des acolytes attrapèrent les bras de Brett pour le forcer à se redresser. Le garçon ouvrit ses yeux embués de larmes. Jérémy préparait un coup de poing. Vu l'angle, ce serait pour son visage, cette fois-ci. Son nez !

— Et ça, c'est pour t'apprendre le respect.

Alors qu'il prenait de l'élan, une voix résonna tout près :

— Mazalet ! Ça suffit !

Le principal !

Brett tourna la tête en même temps que ses agresseurs. M. Delapoudrière arrivait sur leur gauche, encadré par Farid et une poignée de gamins. Les filles et les garçons faisaient partie des plus chétifs du collège, ceux dont on se moquait, ceux qui préféraient subir plutôt que répondre aux attaques : les victimes des brutes comme Jérémy et sa bande.

Les deux voyous qui tenaient Brett pour l'empêcher de se débattre le lâchèrent aussitôt. Leur chef chercha un moyen de s'échapper, mais un autre groupe fondait vers eux depuis la droite : le CPE et des surveillants menés par Youri.

— Ton règne est terminé, Jérémy, affirma bravement Brett, une main sur le ventre.

Le voyou ne l'écoutait pas. Il faisait face au principal, les mains levées en signe d'innocence :

— J'ai rien fait, m'sieur !

— Arrêtez, Mazalet. Je vous ai vu le frapper. Vous quatre, dans mon bureau. Immédiatement !

Il fit signe aux surveillants d'escorter la bande, puis s'adressa à Brett :

— Dumont, venez me voir après le déjeuner. L'incident doit être consigné si nous voulons engager des mesures disciplinaires.

Brett comprit ce que cela signifiait : l'histoire que Lucas lui avait racontée se concrétisait. La bande serait punie et le futur serait rétabli.

Le principal se tourna vers les autres élèves.

— Merci de m'avoir alerté sur ces agissements dangereux. Si certains d'entre vous souhaitent signaler d'autres manquements au règlement, mon bureau leur est ouvert.

Plusieurs collégiens baissèrent le nez. Ils ne voulaient pas faire de vagues. Devaient-ils dénoncer le racket dont ils avaient été victimes? Brett sentit leur hésitation. Quand M. Delapoudrière tourna les talons, le garçon déclara:

— Si on y va tous ensemble, on sera plus forts!

La douleur de son ventre lui donnait l'énergie pour ne pas se laisser faire. Si ce n'était pas lui qui avait encaissé ces coups, ça aurait pu être Farid, Youri, ce petit Noir aux oreilles décollées ou cette fille au front plein de boutons...

— Qui vient avec moi? demanda Brett, d'une voix de chef.

— J'en suis! déclara Farid en se plaçant près de son ami.

— Moi aussi, enchaîna sans hésiter Youri. Plus question de me cacher dans les toilettes ni de vivre dans la peur.

La fin de la récré sonna à ce moment-là.

— Vous viendrez, hein? demanda Brett aux autres élèves qui rejoignaient leurs classes.

— Ils viendront, j'en suis sûr, affirma Youri.

Brett, lui, se demanda si cela suffirait à changer les choses. Ou plutôt, à « remettre l'histoire sur ses rails », comme l'avait dit Lucas.

*

Après la cantine, Brett, Farid et Youri attendirent devant le bureau du principal. Plus les minutes passaient et plus ils se disaient qu'ils ne seraient que trois à témoigner. Mais, bientôt, d'autres élèves arrivèrent. D'abord le garçon noir aux oreilles décollées. Puis la fille couverte de boutons. Deux copines : une qui portait un appareil dentaire, l'autre des lunettes. Un Asiatique tout maigre. Et, enfin, un petit gros qui avait redoublé.

Brett regarda autour de lui et sourit.

« On pourrait faire une pub pour Benetton », se dit-il.

Les autres lui rendirent son sourire. Ils étaient prêts à raconter ce qu'ils avaient vécu.

*

Brett et Farid sautillaient sur le chemin du retour en faisant tournoyer leurs cartables. Le principal avait écouté chacun des élèves pour consigner leurs histoires. Les mesures disciplinaires s'appliquaient déjà : Jérémy et sa bande étaient renvoyés du collège pour trois jours, et leurs parents convoqués au plus tôt.

— À demain ! lança Farid avec le plus grand sourire du monde, tandis que Brett tournait dans sa rue.

Le garçon avait hâte de retrouver Lucas pour lui raconter sa victoire. Son ventre le lançait encore de temps en temps, mais il avait évité de se faire casser le nez. Et, si tout allait bien, il avait remis le futur à sa place !

Il n'était même pas essoufflé en passant la porte d'entrée.

— Lucas ! C'est moi !

Pas de réponse.

Brett jeta son cartable dans un coin.

— Tu ne devineras jamais ce qui s'est passé aujourd'hui !

Il allait préparer son goûter quand il se rendit compte que Lucas ne se manifestait toujours pas.

— Ben, tu ne veux pas savoir comment je m'en suis sorti ?

Personne dans le salon.

— Lucas ?

Personne dans la chambre. Le matelas d'appoint était replié comme s'il n'avait pas servi la nuit précédente. L'euphorie de Brett retomba.

— Lucas ! C'est pas drôle !

Il chercha dans toute la maison. Sa respiration, si calme quand il était rentré, s'emballait sous l'effet de la panique.

Des tremblements parcoururent son corps. Brett s'écroula sur le canapé.

— Il a disparu, murmura-t-il, au bord des larmes.

CHAPITRE 16

Brett bondit soudain sur ses pieds.

« L'ascenseur ! »

Lucas était peut-être retourné dans l'entrepôt pour vérifier si son plan fonctionnait ! D'après la théorie de l'adolescent, si Brett se faisait cogner dessus, la machine à voyager dans le temps réapparaîtrait.

Le garçon attrapa ses clefs et sa Ventoline, puis partit à toutes jambes. Il se fichait bien que ses poumons lui fassent l'effet de sacs en plastique mal dépliés : il voulait revoir Lucas une dernière fois.

Il finit le trajet avec un douloureux point de côté, tout près des bleus laissés par Jérémy. Il inspira une bouffée de Ventoline juste avant de passer sous le grillage abîmé. L'effet du bronchodilatateur l'apaisa quand il poussa la porte.

L'entrepôt était toujours aussi poussiéreux. Les traces de pas laissées la veille formaient comme un chemin que Brett suivit, la peur au ventre. Si le garçon avait réellement permis à l'histoire de reprendre son cours normal, l'ascenseur s'était peut-être rallumé... et Lucas était rentré chez lui.

Mais un reniflement lui parvint. Brett dépassa l'angle du mur qui lui cachait l'ascenseur.

— Lucas ?

Le jeune homme était assis à la même place que la veille. Il tenait dans sa main la photo que Brett avait rapportée du voyage en 2015. De longs sillons de larmes creusaient la joue qui n'était pas dissimulée sous sa mèche.

— Il ne s'est pas rallumé ? demanda Brett doucement.

Lucas secoua la tête. Il rangea la photo dans la poche de son jean et demanda :

— Et toi, avec Jérémy ?

Brett frotta son nez, intact, et raconta sa journée. Comment Farid et Youri l'avaient aidé à prévenir le principal. Comment d'autres élèves avaient témoigné contre le racket. Il parla de la bagarre, mais le regard de Lucas se perdait au loin.

— Tu te rends compte que tu as encore plus changé les choses, n'est-ce pas ? demanda-t-il. Ces élèves qui se considéraient comme des victimes, qui auraient vécu avec la honte, la culpabilité de leur faiblesse face à ce racket, vont maintenant avoir davantage confiance en eux. Tout leur futur en est bouleversé.

— Je... n'y ai pas pensé, s'excusa Brett.

Il se sentait tellement mieux depuis le voyage en 2015. Il avait pris de l'aplomb, s'était affirmé et, maintenant, il permettait à d'autres de gagner en assurance. En croyant revenir à l'histoire telle que Lucas la connaissait, il l'avait modifiée davantage.

— Mon monde n'existe plus. Ma famille, mes amis, mes parents... je ne les reverrai jamais.

Le jeune homme se prit la tête dans les mains, prêt à fondre en larmes de nouveau. Sa respiration saccadée devint sifflante.

— Enfin, c'est ridicule ! s'exclama Brett. Ma vie ne va pas changer à ce point ! Pourquoi est-ce que je ne rencontrerais pas ta mère, hein ? Et pourquoi je n'inventerais plus la machine à voyager dans le temps, d'abord ? Ce n'est pas parce que j'ai moins peur de mourir que je ne vais pas faire les mêmes choix !

— Sois réaliste. Tu vois bien que l'ascenseur ne s'allume plus.

Une idée traversa soudain l'esprit de Brett.

— Voilà le truc !

— Quoi ?

— Eh bien, là, en 1991, l'ascenseur ne fonctionne pas... parce qu'il n'y a pas de courant dans le bâtiment. Quand tu as fait le voyage jusqu'ici, tu es parti d'une époque où l'ascenseur était *aussi* un ascenseur normal.

— La première fois, j'avais laissé la clef dans le panneau de contrôle! comprit Lucas. Le courant qui m'a permis de venir jusqu'ici est le même qui nous a ramenés à mon époque. En retirant la clef, j'ai coupé ce lien. Si, en remettant le courant, l'ascenseur se réactive, je pourrai de nouveau faire apparaître le panneau.

L'espoir de Lucas renaissait peu à peu. Il se leva d'un bond.

— Allez, mettons-nous au travail!

Il inspecta la cabine de l'ascenseur, se hissa sur la pointe des pieds en tendant les bras pour déplacer la trappe du plafond. Brett n'en revenait pas de le voir s'agiter ainsi.

— Essaye de trouver le disjoncteur général pendant que je reconnecte quelques fils, lui demanda Lucas.

— Non mais tu es complètement fou de faire ça tout seul!

L'adolescent se mit à rire:

— Si je connais l'existence de la machine, c'est aussi parce que j'ai passé quelques week-ends à regarder papa la bricoler ! J'ai des notions de base.

— Sur ce coup-là, j'ai eu une sacrée bonne idée de te montrer ! ricana Brett. Je veux bien t'aider, sauf que je ne sais pas encore à quoi ressemble un disjoncteur...

— Et moi je n'ai pas d'outils, soupira Lucas en laissant ses bras retomber le long de son corps.

Ils se dévisagèrent, puis, d'une même voix, s'écrièrent :

— La boîte à outils de papa !

— La boîte à outils de papy !

Elle était toujours rangée dans le placard de l'entrée.

— Va la chercher, dit Lucas. Pendant ce temps, je m'occupe des tableaux électriques.

CHAPITRE 17

Lorsque Brett arriva devant chez lui, la 4L de sa mère se garait un peu plus loin.

— Oh non ! gémit-il.

Le bruit de la respiration sifflante de Lucas lui revint soudain en tête.

« Il ne m'a rien dit... mais il est peut-être asthmatique, lui aussi ! »

Si ses poumons réagissaient comme ceux de Brett, la poussière de l'entrepôt ferait bientôt suffoquer l'adolescent !

Brett ouvrit la porte d'entrée, puis le placard, attrapa la caisse à outils et ressortit le plus vite possible.

— Brett ! l'appela sa mère. Où vas-tu avec ça ?

— Papa m'a demandé de lui apporter ses outils, mentit-il en courant déjà.

La caisse à outils pesait son poids. Les marteaux, pinces, clefs et tournevis bringuebalaient dans leurs compartiments. Chaque foulée de Brett s'accompagnait du concert métallique de son chargement.

Le garçon puisait dans ses réserves. Il en avait assez de courir. Il avait l'impression de ne faire que ça depuis deux jours. Mais, une fois de plus, il pensa à Lucas qui prenait des risques pour réparer l'ascenseur sans lui. Il ne pouvait pas le laisser tomber.

Il arriva à l'entrepôt, essoufflé et en sueur. Un énorme fracas métallique résonna dans le bâtiment quand la caisse à outils toucha le sol.

— Lucas! Je suis revenu!

Brett se tenait les côtes. Il tirait la langue. Des points blancs clignotaient devant ses yeux.

— Lucas?

— Là !

La voix venait de l'ascenseur. Brett avança jusqu'à la cabine, pourtant vide. Le garçon leva les yeux : il manquait la trappe du plafond.

La tête de Lucas surgit bientôt.

— J'ai besoin d'un tournevis cruciforme et d'une pince coupante !

Il souriait autant que quand il jouait aux Playmobil la veille. Brett alla lui chercher ce qu'il demandait.

— Tu as trouvé les disjoncteurs ?

— Oui, oui, pas de problème. Les fournisseurs d'électricité ne coupent jamais vraiment tout. J'ai dérivé le courant des circuits encore actifs vers l'ascenseur et, maintenant, il suffit de les reconnecter.

Lucas parlait à toute allure. Brett entendit le chuintement qui accompagnait ses respirations. Il faisait trop d'efforts ! Et avec toute cette poussière...

— Tu ne veux pas te reposer cinq minutes ?

Le jeune homme refusa d'un signe de tête :

— J'y suis presque.

L'angoisse de Brett augmenta.

— Tu... as de l'asthme, toi aussi, n'est-ce pas ? demanda le garçon en sortant sa Ventoline.

Lucas marqua un silence, puis avoua :

— Ouais. J'ai pas ce genre d'inhalateur. À mon époque, j'ai des cachets à prendre pour éviter les crises. Ils fonctionnent bien.

Le jeune homme reprit ses réparations.

— Et... tu as emporté ces cachets avec toi, n'est-ce pas ? demanda encore Brett.

Cette fois-ci, Lucas ne répondit pas.

« C'est bien ce que je craignais », se dit Brett en allant s'asseoir près de la caisse à outils. Si une grosse crise survenait maintenant, loin de son époque, Lucas devrait aller à l'hôpital pour y être soigné.

Le corps de l'adolescent apparut dans l'ascenseur. Lucas se laissa tomber sur le sol de la cabine en grognant. Avec ses joues rouges, son front couvert de sueur et sa respiration digne d'un âne en colère, il ne semblait pas vaillant.

— J'ai fini, souffla-t-il.

Il avança jusqu'à Brett, les mains sur les genoux, et s'assit près de lui. Brett lui tendit sa Ventoline.

— Tu peux toujours essayer...

Le jeune homme accepta.

— Le remède ne peut pas être pire que le mal !

Il inspira une bouffée au moment où un ronron électrique se faisait entendre au loin.

— Mon bricolage a l'air de fonctionner, sourit l'adolescent.

Une grimace déforma sa bouche. Il souffrait.

— Donne-moi la clef, suggéra Brett. Tu te reposes pendant que j'allume et, ensuite, tu rentres te soigner chez toi.

Lucas acquiesça. Le moment de vérité était venu. Si Brett tournait la clef et que rien ne se passait, l'espoir que le jeune homme regagne son époque serait anéanti.

Lucas sortit la clef de sa poche et la déposa dans la main du garçon. D'un geste affectueux, il referma les doigts de Brett sur le précieux objet.

— À toi de jouer.

Brett se rendit compte que leur avenir se décidait à ce moment précis. Même s'il n'avait pas envie de se séparer de Lucas, il savait que c'était la seule solution. En 2015, l'adolescent retrouverait l'existence qu'il n'aurait jamais dû quitter.

Le garçon se leva. Mais il n'eut pas le temps de faire un pas : les portes de l'ascenseur se refermèrent d'un coup.

Brett se tourna vers Lucas qui se relevait, paniqué.

— Qu'est-ce qui se pa...

« Ding. »

Avant que Brett ne termine sa phrase, les portes s'ouvrirent de nouveau.

Une silhouette sortit de l'ascenseur.

Brett lâcha la clef.

Lucas s'évanouit.

CHAPITRE 18

— Lucas !

Brett s'accroupit près de l'adolescent inconscient. Il ne voulait pas regarder le nouveau venu de peur de s'évanouir, lui aussi.

— Je vais m'en occuper, lança la voix grave de l'homme qui avançait vers eux.

Il s'agenouilla près de Lucas. Brett retint sa respiration. C'était... lui. À trente-cinq ans. Comme celui qu'il avait rencontré en 2015. Le patron de l'entreprise de jeux vidéo. Sauf que ce Brett-là n'avait pas eu le nez cassé.

— Tu peux m'appeler « James », lui dit l'homme en souriant.

Sans attendre, il inclina la tête de Lucas pour lui glisser un cachet dans la bouche.

L'effet fut immédiat. Le jeune homme se redressa en inspirant profondément, une main sur la poitrine.

— Ça va mieux ? demandèrent Brett et « James » en chœur.

Lucas acquiesça. Sa respiration se calmait déjà.

— Papa ! Tu as voyagé dans le temps pour venir me chercher ? Tu... n'as pas eu peur ?

— Je n'ai plus peur, Lucas. Et c'est grâce à toi.

Ils échangèrent un long regard où passèrent des excuses, des pardons, du respect et de l'amour. Toute la colère que Brett avait perçue entre eux lors de son voyage en 2015 avait disparu.

Il recula pour laisser le père et le fils se retrouver. Au bout d'une bonne minute, « James » expliqua à Brett :

— Quand j'avais ton âge, j'ai rencontré Lucas, ici même. Il m'a emmené en 2015, voir celui que j'allais devenir.

— Un homme à la tête d'une entreprise de jeux vidéo, marmonna Brett pour confirmer qu'il connaissait cet épisode.

— Au lieu de me faire casser la figure par la bande de brutes qui me rackettait, j'ai réussi à rallier d'autres élèves persécutés pour que nous portions plainte ensemble. Ensuite, Lucas et moi avons essayé de réparer l'ascenseur, de remettre le courant.

— Ça a marché ?

— Je ne sais pas. Au moment où Lucas allait avoir une grosse crise d'asthme...

Il se désigna en souriant et termina sa phrase :

— « James » est arrivé.

— Vous voulez dire que vous avez déjà vécu tout ça ?

— Oui, mais à ce moment-là, j'étais à ta place.

— Donc, rien n'a changé dans le futur ? Le temps fait une sorte de boucle ?

— Pas vraiment... Il y a bien eu une version de ma vie où je me suis fait casser le nez et où j'avais trop peur des conséquences du voyage dans le temps pour prendre l'ascenseur moi-même... mais, dès que Lucas a été coincé ici, ma vie s'est modifiée.

Il toucha son nez intact en souriant.

— Tu as quand même fabriqué l'ascenseur ? murmura Lucas qui essayait de comprendre, lui aussi. Et tu as bien rencontré maman ? Vous nous avez eus, moi, Enzo et Lou ?

« Lou ? J'ai aussi une fille ? » se demanda Brett.

Le sourire de « James » s'agrandit.

— Oh oui, tout est comme dans tes souvenirs. J'ai été obligé de te rabâcher mon histoire de racket pour que tu réagisses de la même façon : que tu prennes l'ascenseur pour venir me sauver.

Il fit un clin d'œil à son fils.

— Tu veux dire que tu as fait semblant ! s'exclama Lucas. Toutes ces années !

— Excuse-moi de t'avoir menti pendant tout ce temps... mais je n'avais pas vraiment le choix. Les personnes qui ont l'occasion de pouvoir discuter avec leur fils comme avec un ami sont rares... Tu sais, cette aventure a beaucoup compté pour moi, alors je n'aurais changé ça pour rien au monde.

L'émotion submergea Lucas. Il serra son père de toutes ses forces dans ses bras. Pendant l'étreinte, « James » échangea avec Brett un regard qui disait « tu comprends ce que je veux dire, hein ? ». Brett acquiesça. Il ferait en sorte que l'aventure se déroule ainsi quand il serait grand. Et il avait hâte de découvrir cette petite Lou, sa fille dont il ignorait tout.

CHAPITRE 19

— **A**llez, Lucas. Il est temps de rentrer dans notre époque, déclara « James ».

Le père et le fils se dirigèrent vers l'ascenseur, toujours en fonctionnement. Personne n'avait retiré la clef du panneau de contrôle de peur que le courant ne se coupe à nouveau.

Lucas serra une dernière fois Brett dans ses bras :

— Tu vas me manquer.

— À moi aussi. Je suis fier de savoir que je vais avoir un fils comme toi, tu sais. Même si tu pourrais couper cette mèche affreuse !

Brett lui ébouriffa les cheveux, et Lucas éclata d'un rire triste.

— Je vais y penser.

« James » approcha et se baissa à la hauteur de Brett.

— Je suis heureux de t'avoir revu, lui dit-il.

— Et moi de savoir qu'un « James » existera un jour.

Ils voulurent se serrer la main, mais leur contact provoqua des étincelles.

— Il ne fait pas bon pour deux versions d'une seule personne de se retrouver dans la même époque, expliqua « James » en faisant un pas en arrière.

Brett hocha la tête en se souvenant de l'électricité statique provoquée par leur premier contact, en 2015.

— Heu... qu'est-ce que je dois faire, maintenant ?

« James » lui sourit :

— Tu t'en sortiras très bien.

— Mais si je ne fais pas les bons choix ? Si je n'arrive pas à inventer la machine à voyager dans le temps ? Si je n'épouse pas la bonne personne ? Si...

— J'ai grandi comme tu vas le faire, le coupa « James ». Avec cette aventure en tête et l'espoir de venir chercher mon fils quand il aurait besoin de moi.

— Alors, mon futur sera bien celui-là ?

— À quelques détails près, répondit « James » avec un clin d'œil.

Une dernière question taraudait Brett :

— « James » ? Qu'est-ce que vous allez faire de l'ascenseur, maintenant ?

— Eh bien, peut-être que je vais visiter mon futur, voir si quelqu'un a enfin mis au point des voitures qui volent en 2050... Et si ce n'est pas le cas, y réfléchir moi-même !

Le jeune garçon leva le pouce pour confirmer que l'idée lui plaisait.

— Adieu, Brett, lui dit « James ».

— Merci pour ce voyage dans ton époque, ajouta Lucas.

— Merci à vous deux. Je penserai à vous tous les jours.

« James » lança un dernier conseil en actionnant la fermeture des portes :

— Travaille bien tes maths à l'école ! Tu en auras besoin !

Le père et le fils disparurent derrière l'accordéon métallique. Brett sourit au milieu de ses larmes. La présence de Lucas lui manquait déjà.

Le garçon posa son front contre l'ascenseur. La fraîcheur du métal lui fit du bien. Il inspira profondément, puis fit quelques pas en arrière. Son pied heurta soudain quelque chose. La clef ! Brett l'avait laissée tomber dans la poussière ! Il la ramassa aussitôt.

La douleur d'avoir perdu ce frère qu'il n'aurait jamais oppressait toujours sa poitrine. Il se jura de réussir, de construire la machine à voyager dans le temps pour revenir sauver Lucas.

En serrant la clef dans son poing, une certitude le traversa : il y parviendrait.

« Ding. »

Le cœur de Brett fit un bond.

Les portes de l'ascenseur s'ouvrirent devant le garçon bouche bée. Mais la cabine était vide.

Soudain, les lumières de l'appareil s'éteignirent. Plus de courant.

Brett secoua la tête. L'ascenseur fonctionnerait de nouveau dans vingt-quatre ans. Pas avant.

En rentrant chez lui, Brett se sentit impatient de grandir.

L'avenir ne lui faisait plus peur.

L'AUTEUR

Quand elle était petite, Nadia Coste avait beaucoup d'imagination, mais elle n'aimait pas lire. Le déclic s'est finalement produit à dix-huit ans, avec la découverte des littératures de l'imaginaire. Depuis, elle est convaincue qu'il suffit de rencontrer le roman qui nous correspond pour basculer dans le monde des lecteurs... c'est pour cela qu'elle écrit pour la jeunesse : pour donner le goût de lire avec des histoires simples aux émotions fortes. Elle est notamment l'auteur des séries *Fedeylins* (éditions Gründ, 2011), *Les yeux de l'aigle* (éditions Gründ, 2012) et *SpaceLeague* (éditions L'Équipe, 2013).

Nadia Coste a atteint la période de sa vie où il devient malpoli de lui demander son âge. Mais, si vous êtes bon en maths, sachez qu'elle est née en 1979, soit un an avant Brett. Elle a grandi près de Lyon où elle vit toujours avec son mari et leurs trois enfants.

L'Enfant-satellite
Jeanne-A Debats
*Prix littéraire de
la citoyenneté 2010-2011*

L'Envol du dragon
Jeanne-A Debats
Prix Cherbourg-Octeville 2012

**Rana
et le dauphin**
Jeanne-A Debats

**Opération
« Maurice »**
Claire Gratias
Prix Salut les bouquins 2011

**Une porte
sur demain**
Claire Gratias

Mémoire en mi
Florence Hinckel

**Papa, maman,
mon clone et moi**
Christophe Lambert

Libre
Nathalie Le Gendre
**Sur la liste de
l'Éducation nationale**

Vivre
Nathalie Le Gendre

**À la poursuite
des Humutes**
Carina Rozenfeld
Prix Dis-moi ton livre 2011

**Moi,
je la trouve belle**
Carina Rozenfeld

L'Enfaon
Éric Simard
**Sur la liste de
l'Éducation nationale**
*Prix Livrentête 2011
Prix Dis-moi ton livre 2011
Prix Lire ici et là 2012
Prix Passeurs de témoins 2012
Prix Livre, mon ami 2012*

Robot mais pas trop
Éric Simard
Prix Nord Isère 2011-2012

Roby ne pleure jamais
Éric Simard

Les Aigles de pluie
Éric Simard

Loi n°49-956 du 16 juillet 1949
sur les publications destinées à la jeunesse,
modifiée par la loi n°2011-525 du 17 mai 2011.

Mise en pages : DV Arts Graphiques à La Rochelle.

N° d'éditeur : 10228505 - Dépôt légal : août 2014
Achevé d'imprimer en août 2016
par Clerc (18206, Saint-Amand-Montrond, France)

MIXTE
Papier issu de
sources responsables
FSC® C022030